Iolair, Brù
Giuthas

Eagle, Robin, Pine

Fearghas MacFhionnlaigh

Mar chuimhneachan air / In memory of
Catherine Nugent (1930-1989)

[signature]

"Oir le aoibhneas thèid sibh a-mach
agus le sìth stiùrar sibh air ur n-aghaidh:
togaidh na slèibhtean agus na cnuic romhaibh àrd iolach,
agus uile chraobhan na machrach buailidh am basan.
An àite droighne fàsaidh an giuthas..."

(Isaiah 55:12, 13)

"A Thì uile-chumhachdaich, sa choille tha mi beannaichte.
Is sona a h-uile neach sa choille.
Tha gach uile craobh a' labhairt Tromhadsa.
O a Dhia! Abair glòir sa choille!
Tha sìth sna h-àirdean - sìth gu bhith frithealadh Airsan."

(Beethoven, a' bhliadhna a chuir e crìoch air an t-Seachdamh Simfni)

"Summertime an' the livin' is easy,
Fish are jumpin' an' the cotton is high.
Oh, your daddy's rich, an' your mammy's good-lookin',
So hush, little baby, now don' you cry."

(George Gershwin)

1

Bho thaobh thall èirigh na grèine thàinig mi,
bho thaobh thall slèibhtean na h-inntinne,
bho fhàire gu fàire chì mi, 's thèid mo sgiathan a sgaoileadh.

Is mise an Fhìrinn thar-dhìreachdail, a bhuaileas
bho na h-àirdean 's a ghearras gu ruig an cnàimh.
Cha tèid grèim a ghabhail orm. Is mise Iolair.

2

À broinn a' ghàrraidh thàinig mi,
à broinn craobh-lann a' chridhe,
à broinn dlùth-phris faisg riut bheir mi sùil ort.

Is mise an Fhìrinn imeanach.
Ged is gnàth-eun mi, cha bheag do mheas orm.
Cha ghabh mo mhùchadh. Is mise Brù-dhearg.

"You will go out in joy and be led forth in peace;
the mountains and the hills will burst into song before you,
and all the trees of the field will clap their hands.
Instead of the thornbush will grow the pine tree..."

(Isaiah 55:12,13)

"Almighty One, in the woods I am blessed.
Happy everyone in the woods.
Every tree speaks through Thee.
O God! What glory in the woodland!
On the heights is peace - peace to serve Him."

(Beethoven, the year he finished his 7th Symphony)

"Summertime and the livin' is easy,
Fish are jumpin' and the cotton is high.
Oh, your daddy's rich, and your mammy's good-lookin',
So hush, little baby, now don't you cry."

(George Gershwin)

1

From beyond the sunrise I have come,
from beyond the mountains of the mind,
from horizon to horizon my eyes scan, my wings span.

I am transcendent Truth which strikes from on high
and bites to the bone. I am ungraspable.
I am Eagle.

2

From within the garden I have come,
from within the arboretum of the heart,
from hedgerow to hedgerow I flit, I sit.

I am immanent Truth. Though I am familiar
you yet delight in me. I am indomitable.
I am Robin.

3

Bho ìochdar shnàthlainneach na coille dh'èirich sinn,
bho ìochdar bun-fhreumh na h-eanchainne,
bho ghlùin gu glùn nar snodhachadh, nar cinntinn.

Is sinne an Fhìrinn ion-cholainnichte.
Is sinne an cruth diombuain a ghabhas a'bhrìgh oirre fèin.
Cha ghabh ar n-àireamh. Is sinne Cuilg-giuthais.

4

Tha an Giuthas a' riochdachadh Tìme.
Tha na cuilg nan spògan-uaireadair do-chunntaidh,
air neo nan gràinnean-gainmhich a' sileadh gun fhuaim.

Tha am Brù-dhearg a' riochdachadh A-Nis:
dlùth-chàirdeil ach do-ghlacaidh.
Chì combaist a shùla bioraich gach àirde.

Tha an Iolair a' riochdachadh na Sìorraidheachd.
'S i a chrathas a' Chraobh.
'S i toiseach agus crìoch a' Chearcaill.

5

L'Aigle sent le Rouge-gorge.
            Tha an Iolair mothachail air a' Bhrù-dheirg.
Le Rouge-gorge sent le Sapin.
            Tha a' Bhrù-dhearg mothachail air a' Ghiuthas.
Le Sapin répand ses Aiguilles.
            Tha an Giuthas a' sileadh a chuid Chalg.

Èiridh an Iolair na grad-bhòrcadh bhàrr gèige àird.
Thèid an Giuthas air chrith gu ruig an fhreumhag as ìsle.
Frithealaidh am Brù-dhearg an caoineadh uaine.

3
From beneath the fibrous forest floor,
from beneath the radix of the brain,
from generation to generation the sap flows, and grows.

We are incarnate Truth. We are the transient form
the content takes. We are uncountable.
We are Pine-needles.

4
The Pine-tree represents Time.
The needles are numberless watch-hands
or silently cascading grains of sand.

The Robin represents Now:
intimate but elusive. No needle escapes
the compass of his concentrating eye.

The Eagle represents Eternity.
It is he who shakes the Tree.
He is the beginning and end of the Circle.

5
L'Aigle sent le Rouge-gorge.
                    The Eagle is aware of the Robin.
Le Rouge-gorge sent le Sapin.
                    The Robin is aware of the Fir-tree/Coffin.
Le Sapin répand ses Aiguilles.
                    The Fir-tree sheds its needles.

The Eagle burgeons from an upper bough.
The Pine-tree trembles to each earth-bound tip.
The Robin attends the tear-shed green.

6

Os cionn a' chràidh –
Creideamh.
Seo Cearcall àrd-shnìomhain na h-Iolair.

Am broinn a' bhròin –
Teaghlach.
Seo Cearcall dlù-chaidreach a' Bhrù-dhearg.

Fon chall –
Cuimhne.
Seo Cearcall iom-fhillteach a' Ghiuthais.

7

Dorchadas. A' dèanamh 65 air an rathad a Dhùn Breatann.
7mh Simfni Bheethoven a' lìonadh a' chàir. An Darna Gluasad.
Tha an t-àile ga mhall-shlacadh le sgiathan-iolair fuaime.

8

Dè nam biodh ciall sa h-uile càil - ciall neo-chrìochnach?
Dè nan gabhadh fiù cràdh 's am bàs fhuasgladh bhon àibheis,
's le truas barraichte Dhè gun tèid an lìonadh le cèill?

9

Thadhail brù-dhearg ort an là mas do bhàsaich thu.
Thug e sùil ort car greis bho chois do leapa
's an uairsin thog e air a-mach air an uinneig.

10

Taing do Dhia airson Beethoven air an rathad a Dhùn Breatann.
Na sgiathan leathann.
An ionga glan.

6
Above the grief –
Faith.
This is the spiralling Circle of the Eagle.

Within the pain –
Family.
This is the inner Circle of the Robin.

Beneath the loss –
Memory.
This is the age-old Circle of the Pine.

7
Darkness. Doing 65 on the highway to Dumbarton.
Beethoven's 7th fills the car. The 2nd Movement.
The air pulsates with slow insistent eagle-wings of sound.

8
What if there is meaning in everything - infinite meaning?
What if even suffering and death can be snatched from the abyss
and by the transcendent mercy of God be given meaning?

9
A robin visited you the day before you died.
It watched you from the foot of your bed
before leaving by a window.

10
Thank God for Beethoven on the road to Dumbarton.
The wings broad.
The talon precise.

11
'S nuair a dhèirich mi là an tòrraidh 's a dh'fhosgail
mi an doras-cùil, siod othail itean nam aodann
agus brù-dhearg air rèile na liosa.

12
Togaibh, a gheatachan, bhur cinn,
agus bithibh air bhur togail suas a dhorsan sìorraidh;
agus thig Rìgh na glòire steach!   (Salm 24:7)

13
An gabh a chreidsinn dha-rìribh - ciall sa h-uile càil?
Ciall iomlan, fhìor-ghlan, neo-chrìochnach?
- Eirigh-grèine chrith-eaglach dheireannach?

14
Beethoven. Taing do Dhia airson a Sheachdamh Simfni.
Na sgiathan plaide-leathann a' teàrnadh.
Sgian-lèigh ingne pongail ag èirigh.

15
Niall aig an Luaithreachan le bileig dà-dholair na dhòrn.
Air a chlaibh chì mi brù-dhearg ar n-òige –
La merle d'Amérique.

Agus a-rìs is an teaghlach a' falbh,
gualainn ri gualainn, glùn ri glùin sa chàr fhada dhubh,
tha brù-dhearg làimh ruinn am preas, a' gabhail beachd.

Bha mi a' leughadh an là roimhe mu shaobh-chreideamh
gum bi brù-dhearg ri còmhdachadh chorp neo-adhlaichte
le còinnich agus le duilleach...

16
Am Brù-dhearg. Beethoven. Brìgh.
Fàir'-shùileach, oidhch'-àicheach, nì mi grèim
air èirigh bhrù-dheirg na grèine.

11
And when I opened the back door the morning of your funeral
I was met with an instant flurry of feathers in my face
and there on the railing sat a robin.

12
"Lift up your heads, O you gates;
be lifted up you ancient doors,
that the King of Glory may come in!"   (Psalm 24:7)

13
Is it really credible? - Meaning in everything?
Ultimate, unqualified, infinite meaning?
- A final awesome Sunrise?

14
Beethoven. Thank God for his 7th Symphony.
The blanket-broad wings descending.
The scalpel-exact talon rising.

15
Neil at the crematorium with a two-dollar bill in his hand.
On its reverse, the robin of our childhood –
La merle d'Amérique.

And again as the family leave,
shoulder to shoulder, knee to knee in the long black car
- there is a robin in the bush beside us, watching.

(I have since discovered there's a superstition
that a robin will cover an unburied body
with leaves and moss...)

16
Robin. Beethoven. Meaning.
I embrace the red-breasted sunrise.
Horizon-eyed I deny the Night.

17

Cò e seo Rìgh na glòire?
An Tighearna làidir agus treun,
an Tighearna treun ann an cath.   (Salm 24:8)

18

Tillidh an càr dubh thar monadh Caer Mhànain.
"Seall air an achadh tha seo," arsa Stiùbhart.
"Tha aige an fhàire as fhaisg' air a bheil mi eòlach."

"Sa sgoil," fhreagair mise, "Their sinn gur ann air fàire
a cho-aomas sgrìoban co-shìnt. Sa neo-chrìochnachd."
"Nach mealladh sin?" arsa Stiùbhart.

19

San anmoch, 9mh Bheethoven. *"Duan dhan Aoibhneas"* na lùib.
Agus an 5mh Coinsèarto Piàno, *"An t-Ìompaire"*.
A'sgrùdadh buaidh an cuid drùidhteachd oirnn.

An dòigh a nì orcastra strìochd ri pong-piàno singilte,
mar a chrìochnaicheas no bhriseas stoirm le boinneag.
Pongalachd. Maothalachd. Misneachd.

20

Ri spaistearachd tron choille.
Boinneag-uisge air mo ghruaidh.
Calg-giuthais a' tuiteam air a shocair fa mo chomhair.

21

Beethoven gar stiùireadh tro dhoininn gu fèath-nan-eun.
Tro dhorchadas gu solas.
Tro bhreisleach gu cèill.

'S bidh brìgh na tha beag 's anfhann gar brosnachadh
's gar dìon an aghaidh na tha ana-mhòr borb.
Mar a chuireas lasair-choinnil gu dùlan domhan dubh dorch.

17
"Who is this King of Glory?
The LORD strong and mighty,
the LORD mighty in battle!"   (Psalm 24:8)

18
The car heads back over the Carman Hill from Cardross.
"You see this field coming up?" says Stuart.
"It has the closest horizon I know."

I tell him we teach the kids at school
that parallel lines meet on the horizon. - In infinity.
"Isn't that an illusion?" he asks.

19
And late on, we listen to Beethoven's 9th, with its *"Ode to Joy"*.
And his 5th Piano Concerto - *"The Emperor"*.
Try to analyze its power.

How the full orchestra may defer to a single piano-note.
As a storm ends or begins with a single rain-drop.
Precision. Tenderness. Courage.

20
I walk through the woods.
I feel a rain-drop on my cheek.
I see a pine-needle spiral slowly downwards.

21
Beethoven conducting us through storm to calm.
Through darkness to light.
Through confusion to meaning.

And the meaning of the fragile and the small
inspires and secures us against the baleful and the huge.
As a single candle-flame defies a universe of night.

22

An abhainn air at gu h-uabhasach leis a' huraicein.
Faram thaighean-fiodha eile gan craos-shlugadh.
Thusa 's mise nar suidhe an dorchadas a' chidsin.

Soillse
aona choinnil
a' boillsgeadh air formàica a' bhùird.

23

Is uisge an ceòl, 's e na sgàthan dhan aigne. Beanaidh
bàrr-sgealbaig a' chiùil-sgrìobhaiche ri uachdar na linne.
Sgaoilear fradharc na sùla an stuadh-chearcallan fuaime.

No mar pheantair air canabhas a' suathadh air ais le clùd.
Ag ath-bheachdachadh. Ag ath-mhìneachadh.
Tha a' Bheatha ioma-fhillte ach chan eil i gun tùr.

Am broinn uinneag soc loinnear a' Chroinn
tha barrachd air millean reul-chrios ann.
Cha tiochd a leithid a dh'ana-cuimse nar ceann.

Ach faodaidh eòlas a bhith fìor ged nach bi e làn.
Thèid ar seòladh tron oidhche le aon reul a-mhàin.
Bidh aon Reul a' tionndadh ar n-oidhche talmhaidh gu là.

24

Tha ceò sa choille a-nochd.
Faoileagan fuadain a' seòladh dhachaigh nan tosd,
ri uchd ataireachd àrd uaine nan giuthas dorch.

25

Agus dè nam biodh Glòir ann air taobh thall na h-Oidhch?
Glòir a' sìor-chàrnadh air chùl nan neul?
Glòir nach gabh creidsinn, thar ghrian gun chrìoch?

22
The hurricane-swollen creek
swallows house after wooden house.
You and I sit in the kitchen's darkness.

A solitary
candle-flame
reflects on the table's formica.

23
The music is as water which mirrors the mind.
The composer's fingertip touches the pond
and a new vision and another dilates in waves of sound.

Or as a painter on canvas wipes back with a rag.
Restates. Reinterprets.
Life is complex but not inchoate.

Within the window of the stellar Plough
more than a million galaxies spin.
We cannot contain such vastness in our head.

Yet knowledge need not be exhaustive to be valid.
A single star can steer us through the night.
A single Star turns Earth's night into day.

24
There is mist in the woods tonight.
Straggling flotillas of seagulls row home in silence
low above the slow viridian swell of pine.

25
And what if there is Glory beyond the Night?
Liquid, golden Glory flood-rising behind the clouds?
Inconceivable Glory beyond uncountable suns?

Glòir agus a-rìs agus a-mhàin Glòir!
Glòir uile-naomh, uile-bhuadhach, uil-iomlan!
Glòir gu saoghal nan saoghal! Amen!

26
Brù-dhearg sa chaorainn seo, eadar mi fhìn 's a' ghrian.
'S ann an-dràst' a dhrùidheas e orm
cho iol-chruthach binn 's a tha do sheinn.

27
Niall ùr-iompaicht, air a' fòn bho Uinipeag.
"Nach eil faoinsgeul ann man dòigh
a fhuair am brù-dhearg a ruaidhe?

"Gun deach a fhriochdadh
ma dh'fhaoidte nuair a laigh e
air a' Chrùn-droighinn?

"Air neo gun do sheas e a' gabhail beachd aig bonn a' Chroinn
's gun do shil boinneag Fala air a chom?"
(No an do rinn e sgiathalaich ann an aodann Dhè?)

28
Crìosd m' uinneag.
Crìosd mo dhoras.
Crìosd an solas a lìonas mo cheann.

29
Brù-dhearg aig cois do leap' an là mas d'fhuair thu bàs.
Dè bu chiall dha seo? Nam b' e am brù-dhearg no fiù 's an
t-eun mu dheireadh a bh' ann, am meudaicheadh a chiall?

Saoil an robh seo (air do shon-sa dheth)
am brù-dhearg mu dheireadh,
an t-eun mu dheireadh...?

Glory and again and only Glory!
All-holy, all-mighty, all-engulfing Glory!
Glory for ever and ever! Amen!

26
In this rowan tree, a robin
between me and the sun.
Only now it dawns how manifold your song.

27
Recently-converted Neil.
On the phone from Winnipeg. "Isn't there a myth
about how the robin got its red-breast?

"Something about it
landing on the Crown of Thorns
and jagging itself?

"Or standing at the foot of the Cross
and getting splashed with Blood?"
(Or did it flutter in the Face of God?)

28
Christ my Window.
Christ my Door.
Christ the Light that fills my head.

29
A robin at the foot of your bed the day before you died.
What meaning is here?
If it were the last robin in the world

or even the last bird
could its meaning be more?
Who knows but for you it was the last bird...

30
Dh'iarr thu *Ràithean* Vivaldi dhan là.
An Geamhradh fhads a thàinig iad a-steach.
An t-Earrach fhads a sgaoil iad.

An taic rium a-nis air a' ghiuthas chrìon làn crotail seo
chì mi brù-dhearg gun dùil na sheasamh, 's os ar cionn
tha crùn calgach glas ùr-fhàsach an Earraich.

31
Int én bec
ro léic feit
do rinn guip glanbuidi

fo-ceird faíd
ós Loch Laíg
lon do chraíb charnbuidi   (9mh Linn)

"An cian," thuirt an t-Urr. MacGuaire aig an tòrradh,
"Thriall Naomh Ceilteach far an robh Rìgh pàganach."
Fhads a thog e fianais, siod eun beag a-steach air an uinneig.

As dèidh tacan dh'fhalbh e mar a thàinig e -
a-mach às an dorchadas a-steach dhan t-solas,
's air ais dhan oidhche.

"An Teagasg agadsa," dh'fhaighnich an Rìgh, "An inns' e dhuinn
cò às a thàinig sinn 's càit am bi sinn a' dol?"
"Innsidh," fhreagair an manach, "Innsidh".

Día lim fri cach sním, triar úasal óen,
Athair ocus Mac ocus Spirut Nóeb.
Nóebrí gréine glan   (9mh Linn)

32
Agus chluich
an t-orghan *L'Adagio*
d'Albinoni.

30
The mourners hear Vivaldi's *Seasons*
as you requested. *Winter* as they enter.
Spring as they leave.

And beside me now on that dead, moss-mantled
branch of pine an unexpected robin stands,
while above us bristles a crown of fresh spring green.

31
This little bird
whose note is heard
from tip of yellow-lustered beak

Echoes his lay
across the bay
blackbird on yellow-clustered peak   (9th c. Gaelic monk)

Long ago (said the Revd MacQuarrie at your funeral)
a Celtic saint brought the Gospel to a pagan king.
All at once a little bird flew in the window.

After a few moments it left as it had come.
Out of the darkness into the light.
And back out into the night.

"Your teaching," pressed the king, "Can it tell us
whence we have come and whither we go?"
"Indeed it can," replied the saint. "Indeed it can."

God my respite come what plight, noble Three-in-One,
Father and Son and Holy Spirit,
Sun-bright Holy King   (9th c. Gaelic monk)

32
And the organ
played *l'Adagio*
d'Albinoni.

33

Eun àraid de chèill thar tomhais.
Pong-ciùil as iomlaine ath-fhuaimneachd.
Lasair a dh'fhàsas nas dèine mar as duaichnidh an oidhche.

34

Chuala mi comhachag sa choille a-nochd.
Agus thàinig fa-near dhomh a' chiad luchd-triall sa cheàrn seo
's iad a' clisgeadh is dòcha ron dearbh fhuaim a tha seo,

's a' chiad neach ud a dh'fhosgail a bheul
a chur an cèill an ainm
"*Cailleach-oidhche*".

Cailleach-oidhche dhìomhair a' caithris na coille,
a' caoineadh call tiamhaidh a dhrùidheas air daoine
mar ìomhaigh na gealaich an lòn-frìthe na h-aigne

no mac-talla cianail a dh'òran thar cuimhne
no ainm ag iadhadh mu fhìor-oirean na h-aire
no blàth-chùbhraidheachd èalaidheach air
tlà-oiteig samhraidh.

Beithe is giuthas.   Fàileadh is faileas.
Aiteal is uaigneas.   Briseadh is leigheas.
Lasair is aogas.   Aithne is aithris.

Clos is ciall.   Cuinnean is sùil.
Cluas is beul.   Ceòl gun dùil.
Guth fhir-triall.   Cur an cèill.

Ainm
a' cur cluain
air an aineol.

33
A single bird of unsoundable significance.
A single note of consummate resonance.
A single flame a black universe can but enhance.

34
I heard an owl in the woods tonight.
And imagined the first travellers in this area
being startled maybe by this same cry,

and I wondered
who first voiced that name
"Cailleach-oidhche"

The "Old Woman of the Night" keens her mysterious wake,
the pathos of her ancient loss pausing yet our thought
as the full moon sinking fathomless in the silent sylvan lake

or as the beckoning womb-echo of some child-soothing song
or as a familiar name (mine?) tides from just beyond ken
or as the zephyred blossom-scent no sooner caught
                                        than it is gone.

Birch and pine.   Search and find.
Glimpse and concealing.   Fracture and healing.
Flamelight and face.   Right name and place.

Bower and dell.   Space and seclusion.
Eye and smell.   Recall and allusion.
Ear and speech.   Cadence and pitch.

Footfall and trail.   Traveller's tale.
Noise in the night.   Voice of insight.
Fear of unknown.   Word in season.

The anonymous
is now tamed
by its name.

35
Tha an oidhche dubh. Tha an càr agam geal.
Fosglaidh sgian-lèigh Bheethoven beul dearg nam chom,
a' toirt breith Caesaraich gun dùil dham mhulad.

Cluinnidh mi an naoidhean a' rànail, a' rànail, a' rànail.
A' rànail air sgàth na Màthar
a tha marbh.

36
Tha an Iolair ag èiridh.
Tha am Brù-dhearg furtach.
Tha na Cuilg-giuthais crathte.

37
Crathadh sneachda sa choille a-nochd.
Às an dorchadas thig trì ealachan orainds air iteig.
Os an cionn chì mi na rionnagan reòta.

38
O chionn ochd ceud bliadhna pheant am fear-ealain Sìneach
Ma Yüan dealbh air an tug e an t-ainm
'Bàrd a' Dearcadh air a' Ghealaich'.

Agus dè as ciall dhan Ghealaich?
An i sgàthan na Grèine no sgàthan na h-Inntinne?
Càite bheil Cearcall an t-Solais a' tòiseachadh?

Mon Dieu, tu es la lumière de ma vie.
Tu éclaires la nuit
où je suis.   (Psaumes en français courant 18)

(Mo Dhia, is tusa solas mo bheatha.
Soillsichidh tu an oidhche
far a bheil mi.)

35
The night is black. My car is white.
Beethoven's scalpel opens a parturient red mouth in my breast.
Gives sudden Caesarean birth to my grief.

I hear the infant howling, howling, howling,
howling for the Mother
who is dead.

36
The Eagle soars.
The Robin consoles.
The Pine-needles spiral down.

37
A sprinkling of snow in the woods tonight.
Out of the darkness appear three orange swans in flight.
Above them I see the frozen stars.

38
Eight hundred years ago the Chinese artist Ma Yüan
painted a picture entitled
'Poet Gazing at the Moon'.

And what is the meaning of the Moon?
Mirror of the Sun or mirror of the Mind?
Where does the Circle of Light begin?

Mon Dieu, tu es la lumière de ma vie.
Tu éclaires la nuit
où je suis.   (Psaumes en français courant 18)

(My God, you are the light of my life.
You illumine the night
where I am.)

Os cionn a' bhàird na shuidhe tha Giuthas aost' a' fàs.
Bhàrr gèige chìthear badan de thrì cuilg
a' tuiteam san t-sàmhchair gun fhiosta sìos.

Dè as ciall do thrì cuilg-giuthais a' tuiteam còmhla
san t-sàmhchair fo sholas na Gealaich? – Mas ciall
                           neo-chrìochnach e
dè chanas sin a-rèist man Chraoibh-ghiuthais shlàin?

Agus dè man Bhàrd a tha na shuidhe?
Agus dè mu Ma Yüan a pheant an dà chuid Bàrd is Giuthas?
Agus dè umainn fhèin a chì an dèidh ochd linntean
                           a' chùis-chlèith?

39
"Tha fuilteinean ur cinn uile air an àireamh," thuirt am Mesiah.
"Chan eil aon gealbhonn air dhearmad am fianais Dhè."
An giùlan sinn na tha sin de chuideam brìghe?

Gum bi mac-talla sìorraidh aig gach facal dìomhain?
- Trì cuilg-giuthais a' tuiteam fo sholas na Gealaich.
Tha mi gan cluinntinn.

Tha mi gan cluinntinn a-nis.
Tha guthan aca.
Tha iad a' seinn.

40
Gliocas a lorg – chan e sin an duilgheadas. Is ann an gliocas
a tha sinn beò 's a' gluasad 's a tha ar bith againn.
'S e tha duilich ùmhlachd a thoirt dhan Ghliocas a tha
                           sinn air lorg.

Tha aon duilleag mòr gu leòr
gu bhith na ràth-teasairginn dhan inntinn.
Èiridh craobh na bàta fa ar comhair.

Above the seated poet grows an ancient Pine.
From a branch a sprig of three needles
falls unobserved in the silence.

What is the meaning of three pine-needles falling conjoined
in moonlit silence? – If we say their meaning is infinite
what then shall we say of the Pine Tree?

And what of the seated Poet?
And what of Ma Yüan who painted both Poet and Pine?
And what of ourselves who after eight centuries
                                    see the unseen?

39
Every hair on your head is numbered, said the Messiah.
Not a sparrow falls to the ground but your Father knows.
Can we bear such a weight of meaning?

That every careless word we utter has an eternal echo?
Three pine-needles falling together in the moonlit silence.
I hear them.

I hear them now.
They have voices.
They sing.

40
The problem with wisdom is not really in its finding.
For in Wisdom we live and move and have our being.
The problem is rather in obeying the wisdom we find.

A single leaf is big enough
to form a life-raft of the mind.
A tree a looming ship may be.

Nì brù-dhearg a' chùis
mar leus-mara dhan aigne.
Fòghnaidh iolair gus neo-chrìochnachd a dhearbhadh.

41
7 uairean sa mhadainn. A-muigh leis a' chù.
Nì mi stad a ghabhail beachd air duilleig shingilte
's i air chrith san tlà-ghaoith.

An seo.
A-nise.
An nì seo.

Duilleagan eile na slataige 's na gèige fa-near dhomh.
Nì mi oidhirp air a h-uile duilleag air a' chraoibh fhidreadh
còmhla.
A h-uile duilleag air a h-uile craoibh sa choille.

Cus.
Tuilleadh 's a' chòir ri ghiùlan.
Gach duilleag le cruth air leth – crith air leth.

Bith air leth.
Brìgh air leth.
Laoidh air leth.

42
Duilleag dhearg air ùrlar geal.
Màthair òg, tur-iadhte le sneachd.
B' e t' fhonn riamh 'Summertime'.

"One of these mornin's you're goin' to rise up singin',
Then you'll spread your wings an' you'll take to the sky.
But till that mornin' there's nothin' can harm you . . ."
(George Gershwin)

A robin a beacon
by which to navigate.
An eagle proof enough of the infinite.

41
7 a.m. Out walking the dog.
I stop to ponder a single leaf
trembling in the soft breeze.

Here.
Now.
This.

I take in the other leaves on the twig and branch.
Slowly attempt simultaneous awareness of every leaf
                                    on the tree,
then of every leaf on every tree in the wood.

Too much.
Too much to bear.
Every leaf with its unique existence.

Unique dance.
Unique whisper.
Unique song.

42
A red leaf on white ground.
A young mother - snowbound.
Your song was always "*Summertime*".

"*One of these mornin's you're goin' to rise up singin',
Then you'll spread your wings an' you'll take to the sky.
Until that mornin' there's nothing can harm you . . .*"
                              (George Gershwin)

43

An càr fada dubh gar giùlan gu slaodach a-mach à Tulach
Eòghainn.
Air tionndadh dhomh, chì mi Beinn Laomainn thar mo
ghuailne.
Tha a' Bheinn gun sgòth an-diugh. Air do sgàth-sa.

44

Pour toi ce vent qui remue ces feuilles.
Pour toi cet oiseau qui chante au-dessus.
Pour toi mes narines, mes oreilles, mes yeux.

Pour toi ces hirondelles en ordre de bataille.
Pour toi ces moineaux qui se chamaillent en jeu.
Pour toi mes narines, mes oreilles, mes yeux.

(Dhutsa a' ghaoth seo a th' air an duilleach a dhùsgadh.
Dhutsa an t-eun seo ri seinn os mo chionn.
Dhutsa mo chuinneanan, mo chluasan, mo shùilean.

Dhutsa na gòbhlanan-gaoithe seo fo òrdugh a' chatha.
Dhutsa na gealbhonnan seo ri trod callanach càirdeil.
Dhutsa mo chuinneanan, mo chluasan, mo shùilean.)

45

Dìle bhàite sa choille an-diugh.
Tuiltean a' taomadh a-nuas
tro chlaisean rùsg a' ghiuthais.

Eòin bheaga air mheud dhurcan,
an tòir air meanbh-fhrìdean
fo sgàilean a' bharraich bhioraich ghuirm.

46

Pour toi cette mer qui refuse le sommeil.
Pour toi cette chute d'eau, ce lieu sablonneux.
Pour toi mes narines, mes oreilles, mes yeux.

Pour toi ces fleurs qui attirent ces abeilles.
Pour toi ces bouleaux blanc, ces monts nuageux.
Pour toi mes narines, mes oreilles, mes yeux.

43

The long black car carries us slowly out of Tullichewan.
As we leave, I turn to see Ben Lomond.
The Ben is clear today. For you.

44

Pour toi ce vent qui remue ces feuilles.
Pour toi cet oiseau qui chante au-dessus.
Pour toi mes narines, mes oreilles, mes yeux.

Pour toi ces hirondelles en ordre de bataille.
Pour toi ces moineaux qui se chamaillent en jeu.
Pour toi mes narines, mes oreilles, mes yeux.

*(For you this breeze which rustles these leaves.
For you this bird which sings on high.
For you my nostrils, my ears, my eyes.*

*For you these swallows in battle formation.
For you these play-fighting sparrows.
For you my nostrils, my ears, my eyes.)*

45

Deluge in the woods today – each pine-bark runnel a cascade.
Cone-sized birds pursue invisible prey
beneath the high canopy of green.

46

Pour toi cette mer qui refuse le sommeil.
Pour toi cette chute d'eau, ce lieu sablonneux.
Pour toi mes narines, mes oreilles, mes yeux.

Pour toi ces fleurs qui attirent ces abeilles.
Pour toi ces bouleaux blancs, ces monts nuageux.
Pour toi mes narines, mes oreilles, mes yeux.

(Dhutsa a' mhuir seo a dhiùltas gach ciùineas.
Dhutsa an t-eas seo an cois àite ghainmheil.
Dhutsa mo chuinneanan, mo chluasan, mo shùilean.

Dhutsa na blàthan seo a thàlaidheas na seilleanan.
Dhutsa na beithean-geala seo, na beanntan làn ceòtha.
Dhutsa mo chuinneanan, mo chluasan, mo shùilean.)

47
Chì sinn corra-ghritheach sa choille an-diugh.
Tha eubhachd Chiarain 's Cara a' toirt oirre gluasad
bho ghiuthas gu giuthas.

Cuimhneam air Cara,
ceithir bliadhn' a dh'aois,
a' faighneachd dhìom sa choille

"An itealaich sinn dhachaigh?"
Cha mhòr nach do ghuil mi
nach b'urrainn dhomh

le aon chruinn-leum
mo chlann a thogail
dha na speuran gorma.

48
Pour toi ses pins qui reflètent le soleil.
Pour toi ces corbeaux qui rentrent chez eux.
Pour toi mes narines, mes oreilles, mes yeux.

Pour toi cette lavande, ce lilas contre la muraille.
Pour toi ces coteaux jaunes de genêt épineux.
Pour toi mes narines, mes oreilles, mes yeux.

(Dhutsa na craobhan-giuthais seo fo ghathan na grèine.
Dhutsa na starragan seo a' togail orra dhachaigh.
Dhutsa mo chuinneanan, mo chluasan, mo shùilean.

Dhutsa lus na tùise seo, 's an liagh-chòrcra ri balla.
Dhutsa na leòidean seo cho geal-bhuidhe le conasg.
Dhutsa mo chuinneanan, mo chluasan, mo shùilean.)

(For you this sea which refuses peace.
For you this waterfall, this sandy place.
For you my nostrils, my ears, my eyes.

For you these flowers which attract these bees.
For you these white birches, these misted hills.
For you my nostrils, my ears, my eyes.)

47
We see a heron in the woods today,
Ciaran and Cara's excited clamour
sending her from pine to pine.

When Cara was four
she once asked me in the woods
"Can we fly home?"

I almost wept
that I could not sweep my children up
and soar skywards.

48
Pour toi ses pins qui reflètent le soleil.
Pour toi ces corbeaux qui rentrent chez eux.
Pour toi mes narines, mes oreilles, mes yeux.

Pour toi cette lavande, ce lilas contre la muraille.
Pour toi ces coteaux jaunes de genêt épineux.
Pour toi mes narines, mes oreilles, mes yeux.

(For you these pines in the evening sun.
For you these crows on their homeward run.
For you my nostrils, my ears, my eyes.

For you this lavender, this lilac by the wall.
For you these yellow slopes of gorse.
For you my nostrils, my ears, my eyes.)

49

Tha an conasg buidhe-throm
eu-dòchasach fon t-sìor-uisge.
Chìthear deur air chrith bhàrr gach calg-giuthais.

Ach fo ghathan
grian na maidne
tha gach braon na usgar.

50

Pheant mi dealbh dhìot uair, dreasa chonasg-bhuidhe umad.
A' coiseachd air an leacainn maille ri Màiri is Daoimean.
Grian an t-samhraidh gur breacadh tro stuagh iùbhraich.

51

Fon giuthas.
Fon chonasg.
Brù-dhearg.

52

Pour toi une Nouvelle Terre, au lieu de cette Vieille.
Pour toi un Nouveau Chant de louanges à notre Dieu.
Pour toi ses Narines, ses Oreilles, ses Yeux.

*(Dhutsa Talamh Ùr seach am fear Aosta seo.
Dhutsa Òran nuadh los ar Dia a mholadh.
Dhutsa a Chuinneanan, a Chluasan, a Shùilean.)*

53

Fàileadh fiodh-giuthais ùr-leagt' as t-samhradh
gam aiseag air m'ais a dh'Ontàirio.
Cearcallan lìonte 's seacte a mheomhair.

Rùsg bàn na beithe leis na rinn
na Hiùronaich uair an canùthan.
Gam iomchar air ais air sruth na cuimhne.

49

The yellow-laden gorse
is despondent in the rain.
A tear trembles from every pine-needle.

But in the rays
of the morning sun
each droplet is a jewel.

50

I painted you once in a gorse-yellow dress.
You were walking on the hill with Mhairi and Diamond.
The summer sun dappled you through an arch of yew-trees.

51

Beneath this pine.
Beneath this whin.
A robin.

52

Pour toi une Nouvelle Terre, au lieu de cette Vieille.
Pour toi un Nouveau Chant de louanges à notre Dieu.
Pour toi ses Narines, ses Oreilles, ses Yeux.

(For you a New Earth to replace the Old.
For you a New Song of praise to our God.
For you his Nostrils, his Ears, his Eyes.)

53

The scent of felled pine-wood in mid-summer
transports me back to Ontario.
The full and drought-thin circles of recall.

The white birch-bark with which the Huron
once fashioned their canoes
carries me back on the stream of memory.

54
Ciall mar eitean cnòtha dh'fheumas plaosgadh.
– Tha thusa air do sgioladh.
Ach tha ciall cuideachd anns a' phlaosg.

Theirear mu Mhichaelangelo
nach do spàrr e cruth idir air a' mhàrmor.
Is ann a shaor e an t-ìomhaigh à ciomachas na cloiche.

Gidheadh bhuail fhairche
ruithim fhathast
air a' ghilb.

Buille-fairche. Gearradh-gilbe.
Slacadh-sgèithe. Buille-ìne.
Buille-cridhe. Gearradh-sgine.

7mh Bheethoven.
Beethoven am Bodhar.
Agus às a' Bhuidhre, *Beithir*.

55
Urchair-daga giuthais reò-sheargte
a' grad-spreadhadh sa choille shneachd-ragte.
Ach cò chluinneas sgàineadh a' chridhe dhubh-leagte?

56
Là Nollaig. Sìor-uisge air an uinneig.
Air an TV, Leonard Bernstein am Berlin
a' stiùireadh 9mh Bheethoven. Freiheit! *FREIHEIT!*

57
Tha an càr agam geal. Tha mo bhrù crò-dhearg.
Siod uinneag fhosgailte. Tha mi ri taobh do leap'.
Doras. Tha mi air sgèith an Aodann Dhè.

54

Meaning like the kernel of a nut we must unhusk.
– You are unhusked.
Yet the husk also has meaning.

It is said of Michaelangelo
that he did not so much impose form on the marble
as release the imprisoned image from the stone.

But his mallet beat a rhythm
on the chisel
just the same.

Mallet-beat and chisel-cut.
Wing-beat and talon-strike.
Heart-beat and scalpel-cut.

Beethoven's 7th.
Beethoven the Deaf.
And out of the Silence, *Thunder.*

55

The pistol-shot of a frost-bitten pine
splitting in the snow-stunned forest.
But who hears the breaking heart?

56

Christmas Day. Steady rain on the window.
On TV, Leonard Bernstein in Berlin
conducts Beethoven's 9th. Freiheit! *FREIHEIT!*

57

My car is white. My breast is red.
A window opens. I am by your bed.
A door. I flutter in the Face of God.

58
Togaibh suas bhur cinn, a gheatachan,
Agus bithibh air bhur togail suas, a dhorsan sìorraidh,
Agus thig Rìgh na Glòire steach.

Cò e seo Rìgh na Glòire?
Tighearna nan Slògh,
Is esan Rìgh na Glòire.   (Salm 24)

59
Chan urrainn dhomh ràdh mas e iolair no clamhan a tha siod
ag iadhadh os cionn a' bhaile –
ach 's ann air na faoileagan 's feannagan a tha an othail!

60
Dè mur eil fànas eadar-reultach iargalta shuas idir,
ach a-mhàin Glòir iolair-iongach chaithreamach
a' cromadh le luas an t-solais?

   'S gach uile eun
   na shearaf a' seinn
   mu Ghlòire!

   'S gach uile ite
   na sròl-mheirghe
   Glòire!

Agus dè mur eil dubh-aigeann fodhainn air clab a' chraois,
ach à cridhe caoir-gheal na Talmhainn tha Glòir a' bruich
's a' stealladh nìos mar mhagma?

   'S gach uile craobh
   na bolcàno ghorm
   de Ghlòire!

   'S gach uile duilleag
   na leus asèatailin
   Glòire!

58

Lift up your heads, O you gates;
lift them up you ancient doors,
that the King of Glory may come in.

Who is he, this King of Glory?
The LORD Almighty -
He is the King of Glory!   (Psalm 24:9,10)

59

I can't really say whether that is an eagle or a buzzard
circling above the town –
but those crows and seagulls are in consternation!

60

And what if above us blankly stares no interstellar Void,
but only Glory is there, eagle-clawed and exultant,
swooping earthwards at the speed of light?

> And every bird
> a seraph singing
> Glory!

> And every pinion
> a crackling pennant
> of Glory!

And what if no Abyss yawns under us
but as magma from the Earth's incandescent core
there upwards seethes and geysers Glory?

> And every tree
> a green volcano
> of Glory!

> And every leaf
> an acetylene flame
> of Glory!

Agus dè ma bhrisear fuarain na doimhne mòire,
's ma dh'fhosglar tuil-dhorsan nèimh,
's gum bàthar an Talamh fo eòlas Glòir an Tighearna?

Agus dè ma bhios an Talamh trìd-dheàlrach le Glòir
- na gràinne gainmhich air dol na neamhnaid
eadar dà ghèill Glòir air dhath a' bhogha-frois?

No dè mas e gràinnean cruithneachd a th'annainn,
ri ar bleith eadar dà chloich-mhuilinn Glòire?
'S dè as ciall dhar plaosgadh ma bhios sinn caoch?

> Trom-chudthrom Glòire!
> Neo-chrìochnach! Sìor-mhaireannach!
> Cò ach Crìosd tha treun thar Glòir?

'S cò chuireas às àicheadh ma-tà an Oidhche?
'S cò bhios an càs air ciad-fhàire
an Là nach fhaigh am bàs?

> *Ach dhuibhse air a bheil eagal m' ainmsa*
> *èiridh Grian na Fìreantachd*
> *le slàinte na sgiathan* (Malachi 4:2)

61
Tha an Reul
a stiùir thu tron Oidhch'
air èirigh dhut mar Ghrèin.

Cha tuit an t-Sàmhchair idir ort –
is ann a dhùisgeas tu
gu Seinn.

Chan eil eagal orm.
Is fheàrr thu na mòran ghealbonn.
Na mòran reul-chriosan.

And what if the fountains of the deep are broken up,
and the windows of heaven are opened wide,
and the whole Earth is baptized in fathomless Glory?

And what if this world turns translucent with Glory?
This grain of stellar sand becomes a pearl between
two clenching iridescent jaws of Glory?

And what if we are grains of wheat, while from above, below,
there meet two cosmic millstones of granite-solid Glory?
And what will it mean to be unhusked if we are hollow?

> The weight!
> The weight is infinite!
> Who but Christ can bear the weight of it!

And who then dares deny the Night
and scan the skyline for that First
and Final Light?

> *But for you who revere my name*
> *the sun of righteousness will arise*
> *with healing in his wings*   (Malachi 4:2)

61
The Star
who led you through the Night
has now become your Dawn.

You fall not into Silence
but awaken unto
Song.

I am not afraid.
You are worth more than many sparrows.
Than many galaxies.

62
A' coiseachd tron choille.
Boinneag-uisge laighe gu ciùin air mo lecheann.
Calg-giuthais a' tuiteam fam chomhair cho socair ri ite.

63
Dè nam biodh ciall neo-chrìochnach sa h-uile càil
- fiù sa chràdh 's sa bhàs? Dè nan toireadh a' bheatha
tha romhad na h-uiread bàrr air na b'aithne dhut

's a bhios dìthean no craobh
a' toirt bàrr air an t-sìlean ud
bhon dh'fhàs iad suas?

No 's a bhios brù-dhearg no iolair
a' toirt bàrr air frois gun allsadh ud
nan calg-giuthas glas is ruadh?

No 's a bhios òran no simfni
toirt bàrr air slat-ciùil bhrist'
no air cloich gun chlì gun chluais?

No 's a bhios tuinn is gaoth
a' toirt bàrr air binn-thràigh Mhòrair
far na dh'iarr thu do dhuslach a bhith sgaoilt'?

64
Ach chan ann air uirigh gainmhich a nì thu suain.
Cha mhò ghabhas tu fois fo obair-ghrèis nan tonn.
Chaidh thu air iteig tro uinneig fhosgailte na Fàire,

tàlaidht' chun na Camhanaich crò-dheirge mu dheireadh.
Chun an Dorais ga fhosgladh ud nach dùin mac-an-duine.
Dèan itealaich!

Itealaich air rèis-sgèithe thar eòlas iolaire.
Agus crath do sgiathan *dearg-sgeadaichte*
ann an gnùis Mhic Dhè!

62
Walking through the woods.
A raindrop lands softly on my cheek.
A pine-needle falls slowly as a feather.

63
What if everything has infinite meaning -
even suffering and death? What if the life you now enter
as far transcends what you have known

as a flower or tree transcends
that single fallen seed
from which it has grown?

Or as a robin or an eagle transcends
that steady rain
of dislodged pine?

Or as a song or symphony transcends
the broken baton
or the catatonic stone?

Or as the waves and wind transcend
the Morar sands
where your ashes have been strewn?

64
Yet you will not sleep in any bed of sand.
Nor will you rest beneath the lace-edged wave.
Through the Horizon's open window you have flown.

Drawn towards that final crimson Dawn.
That opening Door no man can close.
Fly on!

Fly on with wingspan no eagle has known!
Then flutter! *Flutter red-emblazoned*
in the face of God's Son!

Is ann an sin a cho-aomas ar slighean
gun mhealladh tuilleadh sa chùis,
a' lorg brìgh thar tomhais thar eòlais

ann an Neach
a thug buaidh
air a' Bhàs.

65
Sa choille a-nochd -
Gealach. Fir-chlis. Crann.
Caismeachd trìlleachan-tràghad a' sìor fhàs fann...

66
Rim uinneig.
A' chiad-fhàire.
A' chiad cheilear.

An seo.
A-nise.
Tha gràdh agam ort.

67
Am measg eun, is mise a' chiad fhear
a lèirsinn èirigh na grèine.
Is mise Iolair.

Am measg chrann, is mise a' chiad fhear
a lèirsinn èirigh na grèine.
Is mise Giuthas.

Is mise Brù-dhearg.
As bith dè 'n taobh a thèid mi
bheir mi leam èirigh na grèine.

It is there our paths shall converge,
with all illusion dispelled,
- finding ultimate, infinite meaning

in One
Who has suffered
and died.

65
In the woods tonight -
Moon, Aurora Borealis, Plough,
an oyster-catcher's fading cry...

66
At my window.
First light.
Dawn chorus.

Here.
Now.
I love you.

67
Of all creatures, I am the first
to glimpse the sunrise.
I am Eagle.

Of all trees, I am the first
to sense the sunrise.
I am Pine.

I am Robin.
Wherever I go, I carry
the Sunrise with me.

Leabhrain Bhàrdachd eile le Handsel

1 Commentary, le Jock Stein (*Beurla*)
2 The Crackit Cup, le Irene Howat (*Albais is Beurla*)
3 Labyrinth, le Rosemary Hector (*Beurla*)
4 Swift, le Jock Stein (*Beurla*)
5 Gràs, le Maoilios Caimbeul (*Gàidhlig is Beurla*)
6 Iolair, Brù-dhearg, Giuthas, le Fearghas MacFhionnlaigh
(*Gàidhlig is Beurla*)
7 An Iolaire, le Jock Stein
(*Beurla le eadar-th. Gàidhlig le Maoilios Caimbeul*)

Other Handsel Poetry Booklets

1 Commentary, by Jock Stein (*English*)
2 The Crackit Cup, by Irene Howat (*Scots and English*)
3 Labyrinth, by Rosemary Hector (*English*)
4 Swift, by Jock Stein (*English*)
5 Grace, by Myles Campbell (*Gaelic and English*)
6 Eagle, Robin, Pine, by Fearghas MacFhionnlaigh
(*Gaelic and English*)
7 The Iolaire, by Jock Stein
(*Gaelic trans. Myles Campbell and English*)